Is liomsa an leabhar
Walker Éireann seo:

Do Megan,
Oscar agus
Aoibhe

Walker Books a chéadfhoilsigh faoin teideal *The Ravenous Beast*

Eagrán Béarla

Leagan Gaeilge

2 4 6 8 10 9 7 5 3

Arna fhoilsiú le tacaíocht ó Fhoras na Gaeilge

Clóchurtha ag WorldAccent

Sa tSín a clóbhuaileadh

 Sonraí Catalógaithe le linn Foilsiú: tá catalóg le haghaidh an leabhair seo ar fáil ó Leabharlann na Breataine

ISBN 978-1-4063-4123-2

Walker Éireann, Walker Books Ltd,
87 Vauxhall Walk, London SE11 5HJ
www.walker.co.uk

Stiúcaí Stiúgtha

Niamh Sharkey

Gabriel Rosenstock a d'aistrigh

WALKER ÉIREANN

“NÍL ÉINNE – ÉINNE! –

NÍOS STIÚGTHA NÁ STIÚCAÍ STIÚGTHA,”

arsa Stiúcaí Stiúgtha.

“Tá mé chomh stiúgtha sin go

bhféadfainn an teach mór

buí sin ar an gcnoc a ithe.

D’aon alp amháin! Stiúgtha?!
Chomh cinnte is atá Páirc an
Chrócaigh i mBaile Átha Cliath!”

"Amaidí!
Amai-dí-dú-dá!"

arsa Lúidín Luch.

"Níl éinne níos stiúgtha ná mise.

Táimse chomh stiúgtha sin go

bhféadfainn bád dearg agus dhá scamall bhána a ithe.

Neam-neam! Mar sin!
Gan stró. Mise? Stiúgtha?
Chomh cinnte is
atá rós i dTrá Lí!"

"Siofóid!
Seafóid!"
arsa Matilda Ní Mharmaláid.
"Tá OCRAS an DOMHAIN ormsa:

D'fhéadfainnse buicéad agus spád
a ithe, le roinnt líomanáide.

Gan stró, a mhic-ó!
OCRAS? ORMSA? Chomh cinnte
is atá pus ar asal!"

"Fastaím!
Fastaím!"
arsa Gúgal Gadhar.
"Ocras, ab ea? OCRAS?!

D'fhéadfainnse scáta rollála, cáca lá breithe, lacha rubair agus clog mall a ithe.
Nach é mo bholgsa a bheadh ag gáire ansin!
Hí hí – agus é lán lán lán!

Sin OCRAS duit anois: chomh cinnte
is atá nead ag an dreoilín!"

“Rai-Múúis
is Rai-Mééis!”

arsa Bidí Bó.

“OCRAS, ab ea? D’fhéadfainnse
caisleán a ithe, coróin agus
fallaing sheomra na Banríona,
buatais rubair agus ciste an Rí.
Agus ní bheadh mustard uaim ná aon ní.

Chomh cinnte is atá bolg
ar Dhaidí na Nollag!

Sin is OCRAS ann, mise á rá libh!”

"Ó, Brille Bhreaille!" arsa Cian Crogall.

"Más OCRAS ceart atá uaibh...

D'fhéadfainnse cás taistil, slat draíochta, Seáinín i mBosca, stoca lofa, hata ard agus caiseal a ithe.

Gan salann! Sin is OCRAS ann. Chomh cinnte is atá feamainn i gConamara!"

"Bliodar
Bleadar!"
arsa Liam Láidir.
"Creid é nó ná creid,

d'fhéadfainnse gunnán a ithe,

roicéad, leipreachán, trampailín,

trombón briste agus puball sorcais.

Chomh cinnte is
atá gob ar
phréachán!"

"Truflais smuflais!"

arsa Neilí Eilifint.

"Ní thuigeann éinne an

t-ocras MÓR MÓR MÓR

atá ormsa.

D'fhéadfainnse eitleán,

paraisiút, taephota, balún te,

canna pónairí, eitleog – agus bus glas a ithe.

Sin OCRAS duit, chomh

cinnte is atá Dingle

sa Daingean!"

"Muise, muise, muise!"

arsa Micilín Míol Mór.

"Nach n-éisteodh sibh!

OCRAS, ab ea?

D'fhéadfainnse long a ithe,

léarscáil rúnda, cóta báistí, ancaire, slabhra,

bratach, druma stáin, yó hó hó agus bairille rum!

OCRAS? ORMSA?

Chomh cinnte is atá

clocha istigh in Árainn!"

“STOPAIGÍ!”
arsa STIÚCAÍ.

“Is mise an té is STIÚGTHA ar fad!

Tá an oiread sin ocrais anois orm go n-íosfainn

"D'AON SLOG AMHÁIN!

NEAM-NEAM!
TÁIM
STIÚGTHA!"

"Bhí mé STIÚGTHA!
BRÚCHT!

Chomh cinnte
is atá bolg orm!"

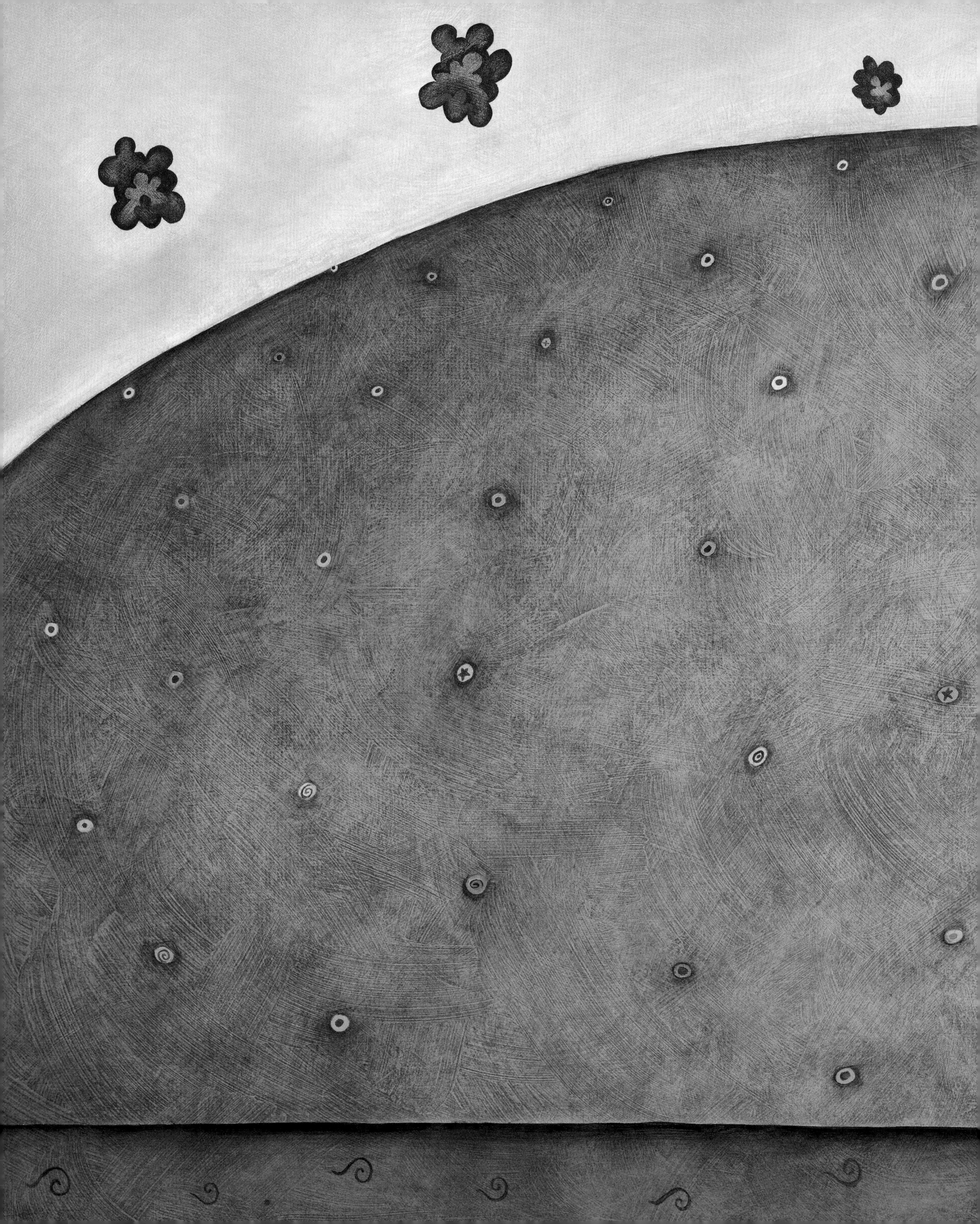

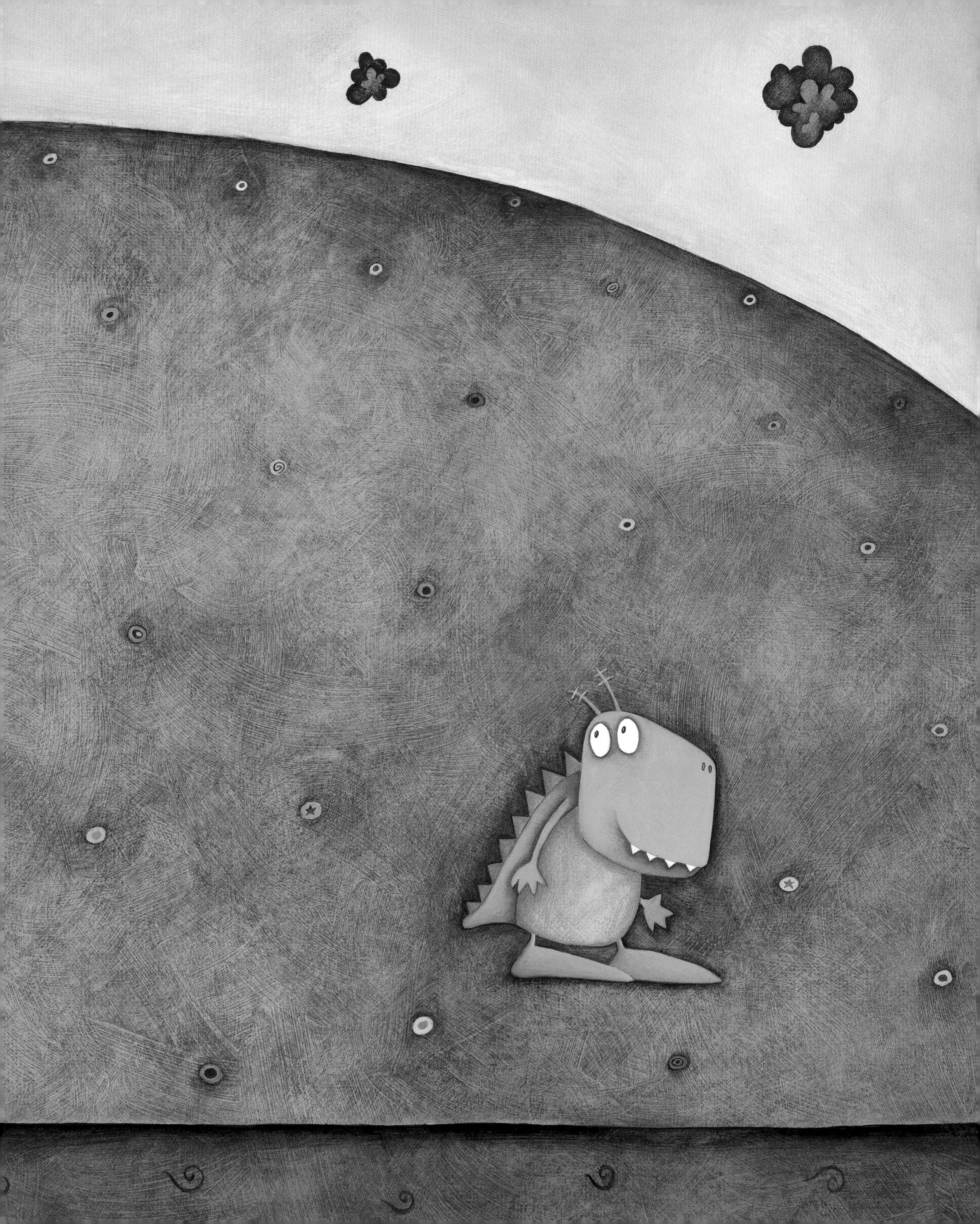